在决战决胜脱贫攻坚座谈会上的讲话

（2020年3月6日）

习 近 平

人 民 出 版 社

图书在版编目(CIP)数据

在决战决胜脱贫攻坚座谈会上的讲话/习近平 著.—北京:
人民出版社,2020.3
ISBN 978-7-01-021923-3

Ⅰ.①在… Ⅱ.①习… Ⅲ.①习近平-讲话②扶贫-中国-
学习参考资料 Ⅳ.①D2-0②F126

中国版本图书馆 CIP 数据核字(2020)第 034512 号

(RMC-ZJDXI-086-20200306)

在决战决胜脱贫攻坚座谈会上的讲话
ZAI JUEZHAN JUESHENG TUOPIN GONGJIAN ZUOTANHUI SHANG DE JIANGHUA
(2020 年 3 月 6 日)
习 近 平

人民出版社 出版发行
(100706 北京市东城区隆福寺街 99 号)

北京新华印刷有限公司印刷 新华书店经销

2020 年 3 月第 1 版 2020 年 3 月北京第 1 次印刷
开本:880 毫米×1230 毫米 1/32 印张:0.5
字数:8 千字

ISBN 978-7-01-021923-3 定价:2.00 元

邮购地址 100706 北京市东城区隆福寺街 99 号
人民东方图书销售中心 电话 (010)65250042 65289539

在决战决胜脱贫攻坚座谈会上的讲话

（2020年3月6日）

习　近　平

同志们：

这次会议的主要任务是，分析当前形势，克服新冠肺炎疫情影响，凝心聚力打赢脱贫攻坚战，确保如期完成脱贫攻坚目标任务，确保全面建成小康社会。

刚才，怒江州、和田地区、兰考县、大化县、赫章县的5位同志作了发言，讲得都很好，各省区市的书面材料我也都看了。总的看，党中央关于脱贫攻坚的决策部署得到全面贯彻落实，各方面工作成效显著，大家对打赢脱贫攻坚战充满信心。

2015年以来，我就打赢脱贫攻坚战召开了7个专题会议。2015年在延安召开革命老区脱贫致富座谈会、在贵阳召开部分省区市扶贫攻坚与“十三五”时期经济社会发展座谈会，2016 年在银川召开东西部扶贫协作座谈会，2017 年在太原召开深度贫困地区脱贫攻坚座谈会，2018 年在成都召开打好精准脱贫攻坚战座谈会，2019 年在重庆召开解决“两不愁三保障”突出问题座谈会，每次围绕一个主题，同时也提出面上的工作要求。每次座谈会前，我都先到贫困地区调研，实地了解情况，听听基层干部群众意见，根据了解到的情况，召集相关省份负责同志进行工作部署。

今年年初，我就考虑结合到外地考察，把有关地方特别是还没有摘帽的贫困县所有负责同志都请到一起开个会，研究决战脱贫攻坚工作部署。新冠肺炎疫情发生后，也考虑过等疫情得到有效控制后再到地方去开，但又觉得今年满打满算还有不到 10 个月的时间，按日子算就是 300 天，如期实现脱贫攻坚目标任务本来就有许多硬骨头要啃，疫情又增加了难度，必须尽早再动员、再部署。

这次座谈会是所有省区市主要负责同志都参加，中西部 22 个向中央签了脱贫攻坚责任书的省份一直开到县级。这是党的十八大以来脱贫攻坚方面最大规模的会议，目的就是动员全党全国全社会力量，以更大决心、更强力度推进脱贫攻坚，确保取得最后胜利。

下面,我讲几点意见。

一、我国脱贫攻坚取得决定性成就

党的十八大以来,我们坚持以人民为中心的发展思想,明确了到2020年我国现行标准下农村贫困人口实现脱贫、贫困县全部摘帽、解决区域性整体贫困的目标任务。目前看,脱贫进度符合预期,成就举世瞩目。

第一,脱贫攻坚目标任务接近完成。我国从上世纪80年代开始扶贫,有两个基本情况。一个是以当时的扶贫标准,贫困人口减到3000万左右就减不动了,另一个是戴贫困县帽子的越扶越多。这次脱贫攻坚扭转了这种趋势。贫困人口从2012年年底的9899万人减到2019年年底的551万人,贫困发生率由10.2%降至0.6%,连续7年每年减贫1000万人以上。到今年2月底,全国832个贫困县中已有601个宣布摘帽,179个正在进行退出检查,未摘帽县还有52个,区域性整体贫困基本得到解决。

第二,贫困群众收入水平大幅度提高。我们坚持开发式扶贫方针,引导和支持所有有劳动能力的贫困人口依靠自己的双手创造美好明天。建档立卡贫困人口中,90%以上得到了产业扶贫和就业扶贫支持,三分之二以上主要靠外出务工和产业脱贫，工资性收入和生产经营性收入占比上升，转移性收入占比逐年下降，自主脱贫能力稳步提高。2013年至2019年，832个贫困县农民人均可支配收入由6079元增加到11567元，年均增长9.7%，比同期全国农民人均可支配收入增幅高2.2个百分点。全国建档立卡贫困户人均纯收入由2015年的3416元增加到2019年的9808元，年均增幅30.2%。贫困群众“两不愁”质量水平明显提升，“三保障”突出问题总体解决。

第三，贫困地区基本生产生活条件明显改善。具备条件的建制村全部通硬化路，村村都有卫生室和村医，10.8万所义务教育薄弱学校的办学条件得到改善，农网供电可靠率达到99%，深度贫困地区贫困村通宽带比例达到98%，960多万贫困人口通过易地扶贫搬迁摆脱了“一方水土养活不了一方人”的困境。贫困地区群众出行难、用电难、上学难、看病难、通信难等长期没有解决的老大难问题普遍解决，义务教育、基本医疗、住房安全有了保障。党的十八大以来，我每年都到贫困地区考察调研，前几年去，沿途山路颠颠簸簸，进了村坑坑洼洼，晴天尘土满鞋，雨天道路泥泞，贫困户房子破破烂烂、有的家徒四壁，一些贫困群众一年也吃不上几次肉，不少孩子没有上学或中途辍学，很多人生病基本靠扛，看了心里确实很沉重。这几年，我再去一些贫困村，看到了实实在在的变化，道路平坦通畅，新房子一片连着一片，贫困群众吃穿不成问题。看到群众脸上洋溢着真诚淳朴的笑容，我心里非常高兴。

第四，贫困地区经济社会发展明显加快。我们坚持以脱贫攻坚统揽贫困地区经济社会发展全局，贫困地区呈现出新的发展局面。特色产业不断壮大，产业扶贫、电商扶贫、光伏扶贫、旅游扶贫等较快发展，贫困地区经济活力和发展后劲明显增强。通过生态扶贫、易地扶贫搬迁、退耕还林还草等，贫困地区生态环境明显改善，贫困户就业增收渠道明显增多，基本公共服务日益完善。

第五，贫困治理能力明显提升。我们推进抓党建促脱贫攻坚，贫困地区基层组织得到加强，基层干部通过开展贫困识别、精准帮扶，本领明显提高，巩固了党在农村的执政基础。全国共派出25.5万个驻村工作队、累计选派290多万名县级以上党政机关和国有企事业单位干部到贫困村和软弱涣散村担任第一书记或驻村干部，目前在岗91.8万，特别是青年干部了解了基层，学会了做群众工作，在实践锻炼中快速成长。在这次新冠肺炎疫情防控中，贫困地区基层干部展现出较强的战斗力，许多驻村工作队拉起来就是防“疫”队、战“疫”队，这同他们经受了这几年脱贫工作历练是分不开的。

第六，中国减贫方案和减贫成就得到国际社会普遍认可。今年脱贫攻坚任务完成后，我国将有1亿左右贫困人口实现脱贫，提前10年实现联合国2030年可持续发展议程的减贫目标，世界上没有哪一个国家能在这么短的时间内帮助这么多人脱贫，这对中国和世界都具有重大意义。国际社会对中国减贫方案是高度赞扬的。联合国秘书长古特雷斯表示，精准扶贫方略是帮助贫困人口、实现2030年可持续发展议程设定的宏伟目标的唯一途径，中国的经验可以为其他发展中国家提供有益借鉴。在共建“一带一路”国际合作中，许多发展中国家希望分享中国减贫经验。我同许多国家领导人或国际组织主要负责人见面时，他们都肯定中国减贫成就。

总的看，我们在脱贫攻坚领域取得了前所未有的成就，彰显了中国共产党领导和我国社会主义制度的政治优势。这些成绩的取得，凝聚了全党全国各族人民智慧和心血，是广大干部群众扎扎实实干出来的。在这里，我代表党中央，向大家并通过你们向广大脱贫攻坚战线的同志们，致以诚挚的问候！

二、高度重视打赢脱贫攻坚战面临的困难挑战

我多次讲，脱贫攻坚战不是轻轻松松一冲锋就能打赢的，从决定性成就到全面胜利，面临的困难和挑战依然艰巨，决不能松劲懈怠。

——剩余脱贫攻坚任务艰巨。全国还有52个贫困县未摘帽、2707个贫困村未出列、建档立卡贫困人口未全部脱贫。虽然同过去相比总量不大，但都是贫中之贫、困中之困，是最难啃的硬骨头。“三保障”问题基本解决了，但稳定住、巩固好还不是一件容易的事情，有的孩子反复失学辍学，不少乡村医疗服务水平低，一些农村危房改造质量不高，有的地方安全饮水不稳定，还存在季节性缺水。剩余建档立卡贫困人口中，老年人、患病者、残疾人的比例达到45.7%。

——新冠肺炎疫情带来新的挑战。疫情对脱贫攻坚的影响主要表现在这样几个方面。一是外出务工受阻。据国务院扶贫办统计，2019年全国有2729万建档立卡贫困劳动力在外务工，这些家庭三分之二左右的收入来自外出务工，涉及三分之二左右建档立卡贫困人口。现在，一些贫困劳动力外出务工受到影响，如

不采取措施，短时间内收入就会减少。二是扶贫产品销售和产业扶贫困难。贫困地区农畜牧产品卖不出去，农用物资运不进来，生产和消费下降，影响产业扶贫增收。三是扶贫项目停工。易地扶贫搬迁配套、饮水安全工程、农村道路等项目开工不足，不能按计划推进。四是帮扶工作受到影响。一些疫情严重的地区，挂职干部和驻村工作队暂时无法到岗。

——巩固脱贫成果难度很大。已脱贫的地区和人口中，有的产业基础比较薄弱，有的产业项目同质化严重，有的就业不够稳定，有的政策性收入占比高。据各地初步摸底，已脱贫人口中有近200万人存在返贫风险，边缘人口中还有近300万存在致贫风险。

——脱贫攻坚工作需要加强。当前，最大的问题是防止松劲懈怠、精力转移，我去年在重庆座谈会上讲了这个问题。但是，随着越来越多贫困人口脱贫、贫困县摘帽，一些地方出现了工作重点转移、投入力度下降、干部精力分散的现象。形式主义、官僚主义屡禁不止，数字脱贫、虚假脱贫仍有发生，个别地区“一发了之”、“一股了之”、“一分了之”问题仍未得到有效解决，部分贫困群众发展的内生动力不足。

从实践看，疫情或灾害对减贫进程会产生影响。我们必须采取有效措施，将疫情的影响降到最低。现在，脱贫攻坚政策保障、资金支持和工作力量是充足的，各级干部也积累了丰富经验，只要大家绷紧弦、加把劲，坚定不移把党中央决策部署落实好，完全有条件有能力如期完成脱贫攻坚目标任务。

三、确保高质量完成脱贫攻坚目标任务

关于脱贫攻坚战最后一年的工作，《中共中央、国务院关于抓好"三农"领域重点工作确保如期实现全面小康的意见》已经作出部署，各地区各部门要抓好贯彻落实。

第一，攻坚克难完成任务。要继续聚焦"三区三州"等深度贫困地区，落实脱贫攻坚方案，瞄准突出问题和薄弱环节狠抓政策落实。确保剩余建档立卡贫困人口如期脱贫，对52个未摘帽贫困县和1113个贫困村实施挂牌督战，国务院扶贫开发领导小组要较真碰硬"督"，各省区市要凝心聚力"战"，啃下最后的硬骨头。要巩固"两不愁三保障"成果，防止反弹。对没有劳动能力的特殊贫困人口要强化社会保障兜底，实现应保尽保。

第二，努力克服疫情影响。要落实分区分级精准防控策略。疫情严重的地区，在重点搞好疫情防控的

同时，可以创新工作方式，统筹推进疫情防控和脱贫攻坚。没有疫情或疫情较轻的地区，要集中精力加快推进脱贫攻坚。要优先支持贫困劳动力务工就业，在企业复工复产、重大项目开工、物流体系建设等方面优先组织和使用贫困劳动力，鼓励企业更多招用贫困地区特别是建档立卡贫困家庭人员，通过东西部扶贫协作“点对点”帮助贫困劳动力尽快有序返岗。要分类施策，对没有疫情的地区要加大务工人员送接工作力度。要切实解决扶贫农畜牧产品滞销问题，组织好产销对接，开展消费扶贫行动，利用互联网拓宽销售渠道，多渠道解决农产品卖难问题。要支持扶贫产业恢复生产，做好农资供应等春耕备耕工作，用好产业帮扶资金和扶贫小额信贷政策，促进扶贫产业持续发展。要加快扶贫项目开工复工，易地搬迁配套设施建设、住房和饮水安全扫尾工程任务上半年都要完成。要做好对因疫致贫返贫人口的帮扶，密切跟踪受疫情影响的贫困人口情况，及时落实好兜底保障等帮扶措施，确保他们基本生活不受影响。

第三，多措并举巩固成果。国务院扶贫开发领导小组去年年底组织各地对已脱贫的9300多万人口开展了全面排查，查找了漏洞缺项，要一项一项整改到位。对存在返贫风险的近200万和存在致贫风险的近

300万人群实施针对性预防措施，及时将返贫和致贫人口纳入帮扶。要加大就业扶贫力度，加强劳务输出地和输入地精准对接，稳岗拓岗，支持扶贫龙头企业、扶贫车间尽快复工，提升带贫能力，利用公益岗位提供更多就近就地就业机会。要加大产业扶贫力度，种养业发展有自己的规律，周期较长，要注重长期培育和支持。这几年，扶贫小额信贷对支持贫困群众发展生产发挥了重要作用，要继续坚持。要加大易地扶贫搬迁后续扶持力度。全国易地扶贫搬迁960多万贫困人口，中西部地区还同步搬迁500万非贫困人口，相当于一个中等国家的人口规模。现在搬得出的问题基本解决了，下一步的重点是稳得住、有就业、逐步能致富。

第四，保持脱贫攻坚政策稳定。对退出的贫困县、贫困村、贫困人口，要保持现有帮扶政策总体稳定，扶上马送一程。可以考虑设个过渡期，过渡期内，要严格落实摘帽不摘责任、摘帽不摘政策、摘帽不摘帮扶、摘帽不摘监管的要求，主要政策措施不能急刹车，驻村工作队不能撤。要加快建立防止返贫监测和帮扶机制，对脱贫不稳定户、边缘易致贫户以及因疫情或其他原因收入骤减或支出骤增户加强监测，提前采取针对性的帮扶措施，不能等他们返贫了再补救。

第五，严格考核开展普查。要严把退出关，坚决杜绝数字脱贫、虚假脱贫。国务院扶贫开发领导小组要开展督查巡查，加强常态化督促指导，今年中央将继续开展脱贫攻坚成效考核。从下半年开始，国家要组织开展脱贫攻坚普查，对各地脱贫攻坚成效进行全面检验。这是一件大事。要为党中央适时宣布打赢脱贫攻坚战、全面建成小康社会提供数据支撑，确保经得起历史和人民检验。

第六，接续推进全面脱贫与乡村振兴有效衔接。脱贫摘帽不是终点，而是新生活、新奋斗的起点。要针对主要矛盾的变化，理清工作思路，推动减贫战略和工作体系平稳转型，统筹纳入乡村振兴战略，建立长短结合、标本兼治的体制机制。这项工作，中央有关部门正在研究。总的要有利于激发欠发达地区和农村低收入人口发展的内生动力，有利于实施精准帮扶，促进逐步实现共同富裕。有条件的地方，也可以结合实际先做起来，为面上积累经验。

四、加强党对打赢脱贫攻坚战的领导

"其作始也简，其将毕也必巨。"脱贫攻坚越到最后越要加强和改善党的领导。各级党委（党组）一定要履职尽责、不辱使命。

到2020年现行标准下的农村贫困人口全部脱贫，是党中央向全国人民作出的郑重承诺，必须如期实现，没有任何退路和弹性。这是一场硬仗，越到最后越要紧绷这根弦，不能停顿、不能大意、不能放松。各省区市都层层签了军令状，承诺了就要兑现。时间一晃就过去了，上上下下必须把工作抓得很紧很紧。

中央财政要继续增加专项扶贫资金规模，各级财政也要保证脱贫攻坚的资金需求。要加大财政涉农资金整合力度，加强扶贫资金监管，提高资金使用效率和效益，用好扶贫的土地和金融政策。对已经实现稳定脱贫的地方，各地可以统筹安排专项扶贫资金，支持非贫困县、非贫困村的贫困人口脱贫。

要深化东西部扶贫协作和中央单位定点扶贫。当前，最突出的任务是帮助中西部地区降低疫情对脱贫攻坚的影响，在劳务协作上帮、在消费扶贫上帮。长远看，东西部扶贫协作要立足国家区域发展总体战略，深化区域合作，推进东部产业向西部梯度转移，实现产业互补、人员互动、技术互学、观念互通、作风互鉴，共同发展。

脱贫攻坚任务能否高质量完成，关键在人，关键在干部队伍作风。要加强扶贫领域作风建设，坚决反对形式主义、官僚主义，减轻基层负担，做好工作、生活、安全等各方面保障，让基层扶贫干部心无旁骛投入到疫情防控和脱贫攻坚工作中去。要加强脱贫攻坚干部培训，确保新选派的驻村干部和新上任的乡村干部全部轮训一遍，增强精准扶贫、精准脱贫能力。

脱贫攻坚不仅要做得好，而且要讲得好。要重点宣传党中央关于脱贫攻坚的决策部署，宣传各地区各部门统筹推进疫情防控和脱贫攻坚工作的新举措好办法，宣传基层扶贫干部的典型事迹和贫困地区人民群众艰苦奋斗的感人故事。对善意的批评、意见、建议要认真听取，及时改进工作，解决问题。对恶意攻击、炒作放大个别问题影响脱贫攻坚工作大局的，要坚决依法制止。

同志们！脱贫攻坚工作艰苦卓绝，收官之年又遭遇疫情影响，各项工作任务更重、要求更高。我们要不忘初心、牢记使命，坚定信心、顽强奋斗，夺取脱贫攻坚战全面胜利，坚决完成这项对中华民族、对人类都具有重大意义的伟业！